SÉRIE gralha rara

transverso

Marcos Pamplona

Æ

Imagem da Capa: Escultura de Juan Parada
Fotos: João Debs (capa) Kraw Penas (orelha)
Capa: Marcelo de Angelis
Revisão: Vivianne de Castilho Moreira
Arte final e resp. gráfico: Ladimir de Jesus Silva
Editoração eletrônica: Cristiane Nienkötter
Editor-assistente: Karina Déa
Editor: Sálvio Nienkötter

Dados Internacionais de Catalogação na Publicação (cip) Angélica Ilacqua CRB-8/7057.

Pamplona, Marcos

Transverso / Marcos Pamplona - Curitiba: Kotter Editorial, 2016.

112 p.

ISBN 978-85-68462-17-1 (Kotter Editorial)

ISBN 978-85-7480-741-6 (Ateliê Editorial)

1. Poesia I. Titulo

16-0433 CDD B869

Texto adequado às novas regras do acordo ortográfico de 1990, em vigor no Brasil desde 2009.

Ateliê Editorial
Estrada da Aldeia de Carapicuíba, 897
CEP: 06709-930 - Cotia - SP
Tel. +55 (11) 4612-9666
www.atelie.com.br | atelie@atelie.com.br

Kotter Editorial Ltda.
Rua das Cerejeiras, 194
CEP: 82700-510 - Curitiba - PR
Tel. +55(41) 3585-5161
www.kotter.com.br | contato@kotter.com.br

Feito o depósito legal.

1ª Edição
2016

Para meus filhos Leonardo, Marina, Francisco e João.

Meu corpo é um estrangeiro
A quem levo pão e água diariamente.

Murilo Mendes

Apresentação

O primeiro livro de poemas de Marcos Pamplona, *transverso*, é um livro da maturidade. Maturidade do autor enquanto homem, que estreia em livro individual agora aos 52 anos, mas também maturidade literária, como a leitura dos poemas logo deixa perceber. É de se supor que os textos aqui reunidos abarquem todo um largo arco temporal de escrita. Conheço Pamplona há muitos anos e sempre soube de sua dedicação à literatura, seja como leitor apaixonado e assíduo, seja como promessa de escritor, que enfim se realiza.

O caráter multifacetado desta poesia aponta para as idas e vindas de uma lida constante, um labor que testa possibilidades, absorve o que tem rendimento, arrisca outras possibilidades e nunca se cristaliza. Se pode haver o risco de uma certa dispersão, a poesia do autor encontra ancoragem numa subjetividade densa e rica, numa ampla experiência de leitura e vida. O poeta tem o que dizer, o que não é supérfluo aqui dizer, já que há tantos poetas que dizem por dizer, sem ter necessariamente o quê.

E os modos desse dizer são vários. Um dos que mais me impressionam é o recurso a imagens e metáforas requintadas, ou ainda, encadeadas umas às outras de modo inusitado, recurso que fere firme a atenção do leitor. No poema "ouriverso", que abre o livro, lemos coisas assim: "achei a palavra hoje / caída numa fenda do dia / garrafa preciosa enluvada de pó"; "deve ser quando o sol / atravessava as folhas da parreira / os cardumes de sombra na terra". No poema seguinte, "limite", podemos ler: "nem quebro o gelo antigo / sob a língua insolente / nem o ovo / azul / da insônia"; "não vou além do amor / esta presilha de estros / não vou além / de tudo que nos põe / entre aspas / e ossos".

Aliás, o poema "todas as imagens nascem no infinito" explicita o caráter eminentemente imagético de parte importante dessa poesia. Um movimento sutil conduz de imagem a imagem, de verso a verso, ligando o natural ao humano, intimamente, e projetando tudo em direção a uma esfera superior. A poesia passou pela cena como vento transfigurador. Vale transcrever todo o texto:

debaixo do
chocalho de folhas
da quaresmeira
os cabelos
do bebê adormecido
estremecem,
ligeiramente convulsos

tudo se desprende
súbito da haste
folhas flores cabelos
tudo é levado
por esta fome celeste

Outro aspecto importante diz respeito à evocação do passado, especialmente a vida familiar na infância e juventude, assunto central do segmento "retrato em andamento", parte inicial do livro. Essa evocação se dá por intermédio de imagens sempre vivas e nítidas. Por exemplo, nestes versos de "aquelas manhãs": "as crianças eram / o ar sutil do jardim // menina falava com as mãos / menino soprava o aro azul / todas as células do corpo se viam / voar / na bolha de sabão ao sol." Ou em "conto do velho cão", a que elementos narrativos se somam, intensificando a reminiscência da cena: "ele corria / em torno deles / espalhando pássaros / Alice reclamava no varal / passa! sai pra lá! / Roberto batia / com o oco da mão em sua nuca // poc!" Ou ainda em "helga", que recupera a figura da avó Helga Hämmerle, a quem o poeta havia dedicado todo um poema, "transversos". Aqui, desloca-se o ponto de vista (do sujeito que fala e do lugar e tempo de onde fala), e é a própria Helga quem vem dizer: "eu lavo a louça / eu varro o chão / eu tiro o pó / a disciplina muda desta casa / é só o exercício austero das horas."

Destes poemas da memória, destaco integralmente "vento", dedicado ao irmão Mario Pamplona Júnior. Na lembrança do brinquedo de infância, imiscui-se o brinquedo da poesia, pandorga-palavra que os meninos vão montando, liame entre eles em um mais-além (desde cedo, a "fome celeste"):

com duas vogais escuras
papel de seda
e um x
de painas douradas
urdimos,
lançamos ao ar
a palavra

soprou tão forte
num instante varreu
o campo a casa a tarde
teu olhar de espanto insciente
e o fio que nos unia ao céu

Os vínculos familiares cedem espaço à experiência amorosa em "ramalhete de estrofes", segundo segmento do trabalho. E aqui as imagens vão sendo também pontuadas por comentários, reflexões, formulações sentenciosas. O primeiro poema desta seção, sem título, é um brevíssimo epigrama, que aponta de imediato para as contradições da vida amorosa, recorrendo à velha contraposição entre flor e espinho, revista com graça: "a rosa é o delírio do espinho".

E é entre os polos da "rosa" e do "espinho" que o poeta e os poemas se debatem. Em "revelação", por exemplo, lemos versos assim, em que o amor é experiência positiva: "fiquei ali, entre coisas / mínimas / luminoso e calmo / sem outro ouro que viver // fiquei mudo / (não ter nada, só amor: eis tudo?)". Já em "vice-verso": "a brasa não vê seu ardor / menos ainda / a cinza que dela / nasce // o amor abre os lábios / profere a luminosa ilusão / e cintila em sins / – até o exausto suspiro / do último / não". Em "vivendo com o inimigo", quem sabe a síntese, com o jocoso verso final: "o amor é um impostor: / põe nos lábios mil deleites / e veneno atrás dos dentes // rasgo a máscara do amor! / não adianta, / surge outro / novinho em flor".

A preocupação em falar da poesia, que já se explicitava no poema de abertura, com a palavra "caída numa fenda do dia" (e o que é a poesia se não um rasgo em meio ao cotidiano, que nos permite ver o que não víamos?), aparece intensamente no terceiro segmento do trabalho, intitulado "a chuva é sempre outrora".

O primeiro poema, a propósito, se intitula "poética", e é nele que encontramos a expressão que dá título à seção. É um poema algo enigmático, em que o poeta usa de metaforização cerrada para pensar a poesia, ou melhor, a manifestação poética, entrevista como "algo" que "no céu se desata" e "chove", uma chuva-fluxo feita de memória e devir, embaralhando os tempos e impregnando as coisas à sua passagem: "devagar, vagamente / o que será deságua / na memória / a última vez que choveu assim / foi agora?".

O poeta Manuel Bandeira surge explicitamente referido no poema "bandeira", que retoma alguns motivos de sua poesia, como o modesto quarto em que sempre habitou, onde encontramos

"ao lado do talher / a maçã grávida de um / silêncio seminal". Certamente virá de Bandeira a inspiração para o poema-anedota que lemos mais adiante, "notícia", de lirismo e humor surpreendentes, a que tende também parte da poesia do próprio Pamplona: "a poeta septuagenária H. Maria H. foi encontrada desaparecida no sofá da sala. restavam apenas seu corpo, sentado como num ônibus, e sua casa, silenciosos, bem arrumados, limpos. o homem da lei achou um bilhete em sua bolsinha, escrito em papel de pão: // 'soltei os pássaros. se quiser, leve a gaiola'."

Deste segmento do livro, gostaria de destacar um poema em especial, "fluxo reflexo", que, pela estrutura rigorosa das situações em paralelo, a tendência à nominalização e o recurso à imagem da "pedra" e à noção de "polimento" (artesanato verbal), remete, inescapavelmente, a certa maneira da poesia de João Cabral de Melo Neto, mas relida de modo pessoal:

as águas inquietas de um riacho
sua voz solferina
as águas, o trabalho imanente
de polir as pedras
a incontinência do riacho
percorrendo
o rastilho
que deflagra
o espelho voraz do mar

as falas inquietas de um homem
sua voz solferina
as falas, o trabalho imanente
de polir os versos
a incontinência do homem
percorrendo
o rastilho
que deflagra
o espelho voraz da palavra

No segmento seguinte, "sala de espera", encontramos poemas em que as questões ontológicas e existenciais do sujeito, permeadas em boa medida pela reflexão sobre a palavra poética, vêm para o primeiro plano.

Em "cosmolira", o poema de abertura, o poeta retoma certas ideias (o fluxo das águas do rio, a fome de céu etc.) que permeiam poemas importantes dos segmentos anteriores, como se viu. Seria oportuno citar alguns versos e conferir a surpresa das imagens: "não me apresse, por favor / meus dedos tangem os rios que deságuam no céu / estou ocupado com isso até o fim dos tempos // se sobra um instante, ando na orla do céu, / catando ossos dos deuses, / cacos do caos".

O poema "jornal do almoço" sobrepõe realidades discrepantes, que vão das previsíveis explicações da situação político-social brasileira, passando pela contemplação artística e pela digressão erudita, à observação do quadro natural, alheio e impassível diante das coisas humanas, realidades que incidem, simultâneas, sobre o sujeito. O contraponto entre os planos, bem como as conexões que entre eles possam haver, fica a cargo do leitor perceber: "as oligarquias apenas / se revezaram no poder / explica o cansado cientista político / olho para a reprodução do acólito / do profeta ezequiel / e digo isso não te venceu michelângelo / e / lá / na sombra do muro caiado / formigas ruivas / levam lascas de folhas / pra dentro da terra morna, / onde habita uma rainha voraz".

E ainda um poema, "antibélico", que retoma a tradicional cisão da própria subjetividade (vale lembrar Bernardim Ribeiro: "Antre mim mesmo e mim / Não sei que se alevantou / Que tão meu imigo sou", que por sua vez ressoa Sá de Miranda), propondo o símile do "homem" como um "galo de briga" (valeria uma leitura em contraste com "Galo Galo", de Ferreira Gullar), que não briga com outros galos, mas consigo mesmo: "ser galo / e de briga / isso é o que lhe quebra / a asa metafísica // e quando amanhece / (tanto cansa / brigar consigo) / não canta, não desperta / nem a si nem a ninguém: / dorme exausto sob as penas / de seu eterno inimigo".

No quinto e último segmento, "formigas ruivas", o mais leve e despojado, o poeta arrola poemas breves em clima de relativa distensão. Por exemplo, o poema "detectora de metais" segue a tradição do poema-piada modernista: "o senhor tem algo que corte? / fora eu, senhora, só este cortador de unhas, / mas ambos estão cegos". Já "moinho" é haicai de estirpe leminskiana: "a lágrima / águas passadas / a limpo". E finalmente "diálogo" segue o viés epigramático dos demais, e pode servir aqui de bom e último exemplo, resignação lúcida do homem que sabe que envelhece: "a velha roseira ouviu / minha silenciosa pergunta // respondeu com cansado verdor: / cedo demais para a morte / tarde demais para a flor".

Marcos Pamplona estreia na poesia com um belo conjunto de versos, sem estardalhaço, sem fogos de artifício. São poemas dentro da melhor tradição do lirismo brasileiro, de elaboração refinada, e que fazem do vivido sua matéria-prima. Poemas que logram a difícil medida de serem ao mesmo tempo intensos e comunicativos. Poesia para se ler e reler, com espanto e prazer.

Marcelo Sandmann

1. retrato em andamento

ouriverso

para josé renoir

achei a palavra hoje
caída numa fenda do dia
garrafa preciosa enluvada de pó
        ouriverso
deve ser quando o sol
atravessava as folhas da parreira
os cardumes de sombra na terra
devem ser os cardumes de sombra

achei não sei bem quando
no bolso de um capote mofo
brinquedo de folhas movido a vento
        achei sim
ali deixada talvez em mil
novecentos e setenta e três
nova de velha, transpalavra
        ouriverso

limite

não vou além da sala
esta coleção de calares

não vou além dos corredores
repiso o passo de avós e bisavós
felinos

não vou além
de nossos cabelos espalhados
por gavetas, envelopes, espelhos

nem quebro o gelo antigo
sob a língua insolente
nem o ovo
azul
da insônia

não vou além do amor
esta presilha de estros
não vou além
de tudo que nos põe
entre aspas
e ossos

vila formosa

quem canta
o louco afonso que degusta cachorros mortos
as ciganas que vendem ervas para roubar crianças
a ponta seca do compasso dos escorpiões da escola
as ameaças do céu caduco do pastor gottwald
os tarados escondidos nos terrenos baldios
a pérfida vizinha bêbada
ver em todos os andarilhos da vila às escuras
a cigana o pastor o tarado o louco o bêbado
o tio irascivo que o acusa de desejar a tia
desejar a tia
o sujeito oculto e as inequações de primeiro grau
o choro materno fininho e frouxo
arrastando-se como fantasmas na noite ingente do quarto
espanta

retrato em andamento

de onde vieram?
para onde vão,
um pé no ar
outro
na calçada?

ele exibe o terno bem cortado
para o sempre novo emprego
ela é o mastro verde
da viscose que o vento
sorve

ele se perderá no mar
ela herdará o peso da terra
mas agora estão a caminho
ele o barco cego
ela a frouxa vela

(olham para a câmera...
adivinham, por trás do fotógrafo,
o filho encanecido e míope
que examina através de meio século
sua extática vertigem?)

vento

para mario pamplona júnior

com duas vogais escuras
papel de seda
e um x
de painas douradas
urdimos,
lançamos ao ar
a palavra

soprou tão forte
num instante varreu
o campo a casa a tarde
teu olhar de espanto insciente
e o fio que nos unia ao céu

bisavoo

o menino
na trincheira
abre a carta da mãe:
palavras voam
como pombas entre bombas

afogado sinaliza ao farol

navego a esmo
esparso
preço? porto?
minha vela é frouxo vapor

não tenho leme
nem motor
piratas querem quanto?
minha carga é pouca
baú boiando

vazei o peixe na água
esgotei a sorte

o norte a quem o aproveite
não sigo tua asa

não vês?
eu sou tua pausa

relato do afogado

quando me fiz ao mar
sem nada saber
abandonei os estudos

empapuçada de sal
a gramática
logo enlouqueceu

o caderno de números
se desfez
em medusas de tinta

quando me fiz ao mar
derradeira ciência
do meu corpo fiz meu barco

e saltei

transversos

para helga hämmerle

abaixo desta linha
todo movimento
é lembrança de mover-se
(mulher e casa
escoam
por noites e dias
indistintos)

abaixo desta linha
tudo se assemelha
à mulher vendo a tarde
no alto da casa
(porque então
descemos
você e eu
mulher
e casa
abaixo
e toda luz e toda beleza
são refrações de um sol
e de uma graça
extintos)

abaixo desta linha
é mundo ainda
mas apenas como a alça
baça
da bandeja de prata
ecoa as mãos da mulher
apenas como nos copos
deixados décadas ao pó
trouxe ela a tarde um dia
- apenas como na tarde
abaixo da linha infinda
trazem os copos
o sumo e o riso
dela
ainda

o porão

latas de tinta
para reformas extintas
garrafas vertidas por mãos que evaporaram
agulhas de tricô
carrinhos, louças, galochas,
espelhos cobertos
por máscaras de pó

(os dias afundam,
repousam no porão)

helga

eu lavo a louça
eu varro o chão
eu tiro o pó
a disciplina muda desta casa
é só o exercício austero das horas

  (se ainda vejo você
  sumido no leito raso,
  os braços finos
  como os remos
  de um naufrágio...)

todas as tardes no quintal
me vejo andando no quintal
me vejo sem você, andando
no quintal
eu nunca estive tão imóvel!
o fruto mais seco carrego agora
estas mãos
aquelas que um dia
brotaram
entre as suas

conto do velho cão

mal vê mas ouve
carro ruge rampa acima
helga tranca o portão
roberto

ele corria
em torno deles
espalhando pássaros
alice reclamava no varal
passa! sai pra lá!
roberto batia
com o oco da mão em sua
nuca

poc!

os olhos
saltam
(um pulso)
e voltam aos trapos
do cão

mal vê mas ouve
alice bate panelas
roberto? helga entra
porta se fecha
"nem o rato
o respeita
mais"

ainda espera

pardal
bica polenta
uva tomba

poc

os dias passam
sem pressa
apenas
noite e
sol
lhe dão

aquelas manhãs

as crianças eram
o ar sutil do jardim

menina falava com as mãos
menino soprava o aro azul
todas as células do corpo se viam
voar
na bolha de sabão ao sol

a bolha estourava
desaparecia também um jasmim

(os poetas antigos não separavam
os deuses das coisas sensíveis)

quando

quando deitados lado a lado
apagamos a luz
e a casa estala cercada de apreensões
quando a noite comprime nosso peito
e mesmo abraçados estamos sós,
ouvindo ainda as vozes das crianças
que dormem fundo, sem saber que serão nós
quando os cães latem lá fora
dentro do sono que se avizinha
e suave, quase ausente,
o seu olhar teima em buscar na noite
o nexo emerso do mundo
quando deitados assim
rezamos em segredo
para não revelar ao outro
a súbita fé dos enfermos
quando uma porta então se abre
sobre a casa em que guardamos
nossas canções e nossos cristais
e os cães, e as crianças e você e eu
dispersos na sombra
enfim dormimos
enfim sonhamos

– nesta hora furtiva
os ancestrais aos poucos
se aproximam,
desconfiados de suas lembranças,
e tocam
com dedos fracos de faquir
o ressono da noite perdida,
o rosto manso da vida
entregue ao vago devir

phoenix memoriam

nos últimos anos o sangue escorreu de frinchas finíssimas, da borda
luminosa das gengivas, das comissuras da garganta que se fechava
sobre o ar da casa enquanto tudo desabava sem alarde. me via
sempre tão vago, entre as batatas do prato de sopa que sorvíamos
com a inconformada nostalgia de nós mesmos...
tamanha foi a transfusão de nossos sangues que eu andava fraco,
temendo tropeçar em minha própria sombra. cheguei a um lugar
inconcluso, como sempre, dilatado pela impotência diante de algo
tão vasto como a derrota.
(era ridícula a navalha com que cortava meus pulsos: eles cegavam
homem e navalha)
quando me vi no caminho que leva de volta a mim, limpando-me
da saliva velha e quebradiça de tantos beijos e berros, passei os dedos
no fio da aurora e disse com sarcasmo: não tenha pressa,
o amor não sabe morrer.

nero incinerado

o invasor viu a janela aberta, a casa quieta, o sol adormecido há milênios na grama, nas telhas, nas camas – lagarto ancestral. ouviu sem pressa seu coração soletrar: saltar a janela, matar a gente que morou nela, queimar as colunas, toda uma roma antiga e seus bustos sem braços...

o invasor queria invadir a casa, mas a casa ergueu a lâmina disjuntiva: mãos ao alto! braços, pernas, olhos, sexo, vísceras: ao alto!

o invasor queria queimar a casa, mas a casa o derreteu como o coto de uma vela

2. ramalhete de estrofes

a rosa é o delírio do espinho

revelação

me vi entre gatos, santos e retratos
me vi inteiro
em seus pedaços
fiquei ali, entre coisas
mínimas
luminoso e calmo
sem outro ouro que viver

fiquei mudo
(não ter nada, só amor: eis tudo?)

fuga

a vida é insuportável
sem estupefacientes
poesia paixão vinho
ou (de todos o mais fino)
a tua mente

puzzle

estilhaço meu peito
em teus confetis de aço
(em slow
motion
para que possas ver
cada
pedaço)

corto meus ossos
com a corda dó
de tua piedade ferina
(parto o caule
despetalo a retina)

nado na baba ácida
bebo teu veneno
fúcsia
me de
com
po
nho
para que montes teu puz
zle
de lutos
desfaleço
teso
até que tenhas em cores
berrantes
a mordaça do amor
(sua louca!)
e tombes
no meu colo
a tua boca

dora carrington

ninguém se aproxima pela tua sombra
neste sonho imóvel
só cascas de estrelas no espaço em que sumiste
como um gato

tua última palavra envelhece sobre o papel

queimarei tudo ao amanhecer
(me dissipo num estampido)

deixarei no espelho a lua
e a órbita vazia da estrada

vivendo com o inimigo

o amor é um impostor:
abre o vinho mais fino
e instila morfina

o amor é um impostor:
põe nos lábios mil deleites
e veneno atrás dos dentes

rasgo a máscara do amor!
não adianta,
surge outro
novinho em flor

segunda pessoa

terás
um filho que não saberás
aliás
se vem de nós
ou de iemanjás
a água desse filho
inventarás
em guerra em paz

no seio esse filho
que terás
ainda zonza desse dom
dirás
a dor é o meu batom
a dor é o meu batom
o amor
essa mulher que nascerás

madame hortense

1.
o cais

navios mercantes
lançam cordas
em tuas ilhargas
sujos marujos
atracam no teu ventre
uma fome arrastada
por vagas tremendas

& em teus lábios
boiam êxtases
de afogado

2.
o caos

no chorume
das docas abandonadas
esse teu patético
quebra-cabeça:
canivetes ou batons
cacos de promessas
ou bitucas de cigarros
de helsinque ou macau
& 77 fragmentos
do teu seio ou coração

vice-verso

a brasa não vê seu ardor
menos ainda
a cinza que dela
nasce

o amor abre os lábios
profere a luminosa ilusão
e cintila em sins
– até o exausto suspiro
do último
não

se a um cabe partir
se a outro resta sofrer
não cabe na vida de um
o exílio de outro ser

frieda-lawrence

come [milsaisassolaramaquelamanhãdemargaridaselesmasnarelva
ruivaqueteusdedosafloravam,masvemlamberacicatriz] back

volte

tua ausência
é pássaro que vejo
num voo descarnado

volte! seja cruel
com esta saudade ridícula
do perfeito sem ventre
destrua com teu hálito
os meus sonhos
inventos
passe a unha
neste seco
ramalhete de estrofes

amor e pedras

a retorcida arte
do remorso
o esculpiu

finas lascas
hesitantes
foram revelando
na pedra
a pele e a pena
o arco e a sombra
cínica dos lábios

está feito (não
pronto: repare na des
proporção per
turbativa entre
olhos ávidos e
asas diminutas)

mas aí está,
a flecha obscena
apontada para os
cantos em que se
escondem Anas
Kareninas,
Bentinhos,
Riobaldos e
Diadorins,
impensáveis
Humbert Humberts,
pálidos e belos
Romeus

& Julietas,
criaturas picadas
pelo inseto do incesto
e até (credo
em cruz!)
pastores
que abraçam
trêmulas
ovelhas

ao pé da obra
os dizeres:
"eros quc instila
amor e culpa,
entrelaçados,
como dois irmãos"

além do nome,
igualmente infame:

Culpido

3. a chuva é sempre outrora

poética

para marina rosa

algo no céu se desata
mais fino que o instante

algo fino como o cabelo
da mola do tempo
se parte (ninguém ouve)

e chove

devagar, vagamente
o que será deságua
na memória
a última vez que choveu assim
foi agora?

fagulhas nas calhas
regatos entre as roseiras
cortinas de contas nos beirais...

a chuva é sempre outrora

bandeira

nesta casa inclinada à renúncia
de suas paredes, telhas e teias
casa de impalpáveis
escadas de luz
e descidas
ao inferno
sem dor
do nada
penso em você,
bandeira,
penso no poeta
que habita
o hotel
um quarto
um quinto
um vinte avos
do céu:

o mundo é este quarto anônimo,
ao lado do talher
a maçã grávida de um
silêncio seminal
enquanto lá fora o vento hasteia
a bandeira
desta pátria tão pura que,
entre a queda e a cordura,
habita Manuel

marinha

a água quer ser vento
o vento, areia ou barco
dissolvem-se na ambivalência
os molimentos

o ar é mar?
mar, areia e barco?
a pedra mesma flutua
no arco
que sustém
ar, areia, mar e barco

e tudo é suave remissão
ao marrom ao verde-azul
ao branco
ao todo e ao parco

aula de caligrafia

o que alcanço
(o carro que passou indiferente)
e o infinito
(o pombo crucificado no asfalto)
com o pasmo sem peso
das plumas
escrevem no ar
o ideograma
dessa hora alguma

em outro tempo

para luciana martins

se destravo a porta que encerra
a sombra
da vida futura

se busco obstinado
asas
ou cílios
se abrindo sobre
a desmesura

os dias se torcem
sobre eixos
          imprevistos
como folhas de papel
ao sol

notícia

a poeta septuagenária H. Maria H. foi encontrada desaparecida no sofá da sala. restavam apenas seu corpo, sentado como num ônibus, e sua casa, silenciosos, bem arrumados, limpos. o homem da lei achou um bilhete em sua bolsinha, escrito em papel de pão:

"soltei os pássaros. se quiser, leve a gaiola".

fluxo reflexo

as águas inquietas de um riacho
sua voz solferina
as águas, o trabalho imanente
de polir as pedras
a incontinência do riacho
percorrendo
o rastilho
que deflagra
o espelho voraz do mar

as falas inquietas de um homem
sua voz solferina
as falas, o trabalho imanente
de polir os versos
a incontinência do homem
percorrendo
o rastilho
que deflagra
o espelho voraz da palavra

princípio

não enalteço a arte
não desdenho a vida
tudo que é sublime nasce
de uma criança perdida

arpejo

fundar o infundado
lamacento
antes da alma ser
o imo lama
lento

da lama virá
o arpejo
da forma
do vento

todas as imagens nascem no infinito

debaixo do
chocalho de folhas
da quaresmeira
os cabelos
do bebê adormecido
estremecem,
ligeiramente convulsos

tudo se desprende
súbito da haste
folhas flores cabelos
tudo é levado
por esta fome celeste

poema quântico

o vento sopra de leve
o fruto cai

sua imagem
(sob o delicado
tecido da pele
o pequeno
universo
concentrado
em parir-se
indefinida
mente)
não

4. sala de espera

cosmolira

não me apresse, por favor
meus dedos tangem os rios que desaguam no céu
estou ocupado com isso até o fim dos tempos

se sobra um instante, ando na orla do céu
catando ossos dos deuses,
cacos do caos

ou mergulho no zênite sob o arco dos cometas

as correntes celestes estão cheias de orações submersas
– não me apresse
posso me afogar, como os meninos que flutuam
inflados
às margens do Cão Menor

o céu oceano guarda o naufrágio da nossa origem?
essas praias, sua luz, sua desmesura
secam meus olhos
me envelhecem no vácuo

os mortos e seus medos navegam em minha carne
estão ocupados com isso até o fim dos tempos

não me apresse, por favor
meus dedos tangem os rios que desaguam no céu

pré-história

o homem sem palavras corre dentro da noite
corre corre corre
corre da noite que corre
dentro do homem sem
palavras

então para

e rosna e freme
e se cala
e se encolhe
e de sua contrição mais escura

nasce a lua

depois de um sonho

a mosca bate na janela
bambus gemem ao vento
uma tábua estala –
as coisas presas às causas,
aqui estou

(durante a noite
desfez-se
a engrenagem do degredo eu
dcitado ao teu lado
na ravina verde
vi lá em cima
o rio que corre
nos vales do céu...)

ouço o chamado dos pés
atado ao meu desalento

o sol, o tempo
a casa aberta
ao claro esquecimento

frágua

dia chuvoso
meu grito se dilui
como o eco dos cascos
de um cavalo
cabisbaixo

alma faz água
frase esboroa

a natureza rumina
o metafórico cavalo
chovendo eu acho

jornal do almoço

as oligarquias apenas
se revezaram no poder,
explica o cansado cientista político
olho para a reprodução do acólito
do profeta ezequiel
e digo isso não te venceu, michelângelo
e
lá
na sombra do muro caiado
formigas ruivas
levam lascas de folhas
pra dentro da terra morna,
onde habita uma rainha voraz

o tao de lao-tzu, chuang-tzu e kuan-tzu,
explico para o acólito,
é talvez uma outra formiga que percorre
raiz-roseira-folha-formiga-rainha
e o meu olhar
enquanto
um sol marroquino
dilui as arestas
do
quase
imóvel
arranha-céu

curitiba

caminho pela tarde fria
essa tarde aberta
que confunde meus passos

volto para casa?
tudo é minha casa

a alma doméstica envelhece
entre espelhos

caminho pela tarde fria
e minha casa
se perde no tempo
se espalha no espaço

palhaço

moro neste homem
que desconheço
nesta cidade sem palma
ou peso

doce exílio
de limo da montanha ...
tenho apreço
por essa vida estranha

caminho pela cidade fria
alta como as tardes
que o mar não cria

sou aérea poesia
que se nega,
esquisita

caminho
e nesse andar
caminha
(não, não a esperança,
que aqui nasce rarefeita)
quem sabe aquela juventude
que um velho
espreita

crônica

o último toque no livro fechado
a má vontade com o fio dental
a pausa com o rosto na toalha
os passos leves pra não acordar as crianças
o sopro dos lençóis
a mão funcionária que apaga a luz
o toque esperançoso nos cabelos dela
os suspiros de amor ou solidão
a voz que emerge e some
o caminhão do lixo, um alarme, um cão
o apito do trem (longe no tempo?)
o medo a raiva o tédio
a indiferença das coisas ao redor
o lento desarme da mente
o momento incerto
em que o corpo se funde à noite

outono

no crepúsculo
vou descalço rumo
ao sol
vou buscá-lo

chego ao ponto de encontro
encontro a noite
a faca já fria
no peito de apolo

a senha, senhor

as pessoas se olham na sala de espera
qual será a ordem?
de chegada? alfabética? divina?
ou a voz que chama sonolenta
soletra o caos?

as pessoas se olham na sala de espera
alguém folheia uma revista
alguém tosse (cigarro? pneumonia?)
alguém procura novamente o documento:
sumiu num desvão da memória...
e minhas chaves? minha bolsa? minha senha?
minhas tardes azuis? (as cadeiras
gemem, as cadeiras riem
dos achados e perdidos)

as pessoas se olham na sala de espera

aquele está mal, aquela faz as unhas
este que chegou já não esteve aqui?
o que foi chamado, voltou?

as pessoas se olham
se olham
se olham
na sala de espelhos

diante da estátua

as pedras guardam
estações
de longas
primevas
eras

na lava fria
corolas
bebem turmalinas
abelhas fecundam
cristais

desde o útero duro
até a pele que o herói
quer em vão vestir,
as pedras
lascam menos
falam menos

mais humildes
após suas batalhas
naturais
assumem formas cegas
sem nome
bustos que ignoram
medalhas
punhos que negam
a espada

"sou pedra", diz a estatua
"sou pedra, mais nada"

khorsabad

águas do mar, águas do rio,
o que é ontem, hoje, abril?

agora sou língua morta
assírio, grego, latim
rosto na pedra
sem vestígios de mim

o pensador

in
se
to
que
rói
o
in
fi
ni
to
.
.
.
e rui

antibélico

este galo
briga diferente

outros galos, dores
fervores da rinha,
nada disso
ergue-lhe a crista
dispara sua espora

ser galo
                    e de briga
isso é que o intriga
irrita e rói

crava os pés na própria
carne
bica a sombra
se infla de asco pela sina
bélica

ser galo
                    e de briga
isso é o que lhe quebra
a asa metafísica

e quando amanhece
(tanto cansa
brigar consigo)
não canta, não desperta
nem a si nem a ninguém:
dorme exausto
sob as penas
de seu eterno inimigo

história de pescador

quase cego aponta a canoa
para a barra
todo ele um feixe de ventos
mudos
e some atrás
do aceno ambíguo das ondas

traz na volta um colar, três tainhas
sobre o lenho velho do pescoço

ainda gosta de pescar?
"quanto mais eu vou pro mar,
menos eu volto"

dostoiévski

diga com os anjos
eu perjuro
diga com as pedras
eu levito
diga com as feras
eu perdoo
diga com os livros
eu esqueço
diga com a água
eu me contenho
diga com o demo
eu não minto
diga com os dados
eu não venço
diga com o homem
eu não mato

diga o inaudito
diga Rússia
eu acredito

donalice

depois das chuvas
dia de vento
azul
ela canta
se estende ao sol
alma clara no varal

vida

o peito inflado da onda
bate na pedra
exclama
uma palavra de espuma

5. formigas ruivas

leminscrito 1

nocaute
você não é
o que vi no leiaute

leminscrito 2

sobressalto
ela é inalcançável
sobre saltos

para-choque de caminhão

para quem vive de verdade
a vida não tem remédio
ou você enlouquece
ou morre de tédio

detectora de metais

o senhor tem algo que corte?
fora eu, senhora, só este cortador de unhas,
mas ambos estão cegos

distração

pare e olhe pra trás:
você não veio

moinho

a lágrima
águas passadas
a limpo

biombo

não se canse com suas
certezas
por trás de toda voz
ergue-se de leve um dedo:
tudo é segredo

microcosmo

a brisa
brinca
na aérea
avenca:
um centauro
de orvalho
cintila e
despenca

mesa de bar

vozes giram à minha volta
voragem
de risos ferozes

mas não me sorvem

o fumo do cigarro sobe reto
como o eixo de um sonho

diálogo

a velha roseira ouviu
minha silenciosa pergunta

respondeu com cansado verdor:
cedo demais para a morte
tarde demais para a flor

fim de tarde

os meninos correm na areia
a mãe chama
os meninos de areia
que correm noite adentro

ergo os olhos
vejo o tempo
se estatelar nas estrelas

visão

o meu fim
é bondade severa
toda terra amor
tecida
pelo abraço
das heras

entre as coisas estrangeiras

I

o vento infla as cortinas
um flash de sol
engole
o siamês de porcelana azul

II

gotas de água
insinuam no vidro do box
o rosto de cristo ou marx
(mas ninguém vê
então
não há cristo nem marx?)

III

o velho cão cego late
sem acordar

IV

a violeta estende
felinamente
o veludoso
dedo mínimo

V

uma ponta do cartaz
de dersu uzala
se desprende da parede:
revela-se o fóssil
de uma sombra

VI

entre as coisas estrangeiras
no fundo silencioso da casa
o cão cego e eu
dormimos

Sumário:

Este livro foi impresso nas oficinas gráficas da Kotter Editorial [www.kotter.com.br] em papel pólen Suzano off-white, de 90 g/m², tipologia Crimson Text 10,5/13, na primavera de 2016.

Cumprindo seu papel social e ambiental, a Editora doou todas as aparas de papel resultantes desse livro à Associação de Catadores de Papel Verde Iraí, CNPJ: 15.055.164/0001-93, presidida pelo senhor João Batista Teixeira. **Reciclar é preciso!**